STORÏAU HANES CYMRU

SUSAN REES: MERCH YN Y PWLL GLO

JOHN EVANS

Lluniau gan C

Powys

DREF WEN

Susan Rees yw fy enw i.
Dw i'n chwech oed.

Dw i'n byw ym Merthyr.
Y flwyddyn yw 1842.

Dyma'n tŷ ni.
Dw i'n byw yma gyda Mam a Dad.

Mae gen i chwaer fach
o'r enw Ann, a dau frawd
o'r enw John a Dafydd.

Mae Dad yn torri glo yn y pwll glo.
Mae fy mrawd John
yn rhoi'r glo yn y cart.

Mae fy mrawd
Dafydd yn tynnu'r cart.

Rydw i'n gweithio yn y pwll glo hefyd.

Dw i'n agor y drws i adael
awyr iach i mewn i'r pwll.

Dydd Llun

Dw i'n codi am 5 o'r gloch.

Dw i'n cael bara te i frecwast.

Dw i'n dechrau gweithio
am 6 o'r gloch. Dw i'n eistedd
wrth y drws drwy'r dydd.

Dydd Mawrth

Dw i'n codi am 5 o'r gloch.

Dw i'n cael bara te i frecwast.

Dw i'n dechrau gweithio am 6 o'r gloch.
Heddiw, mae llygod mawr yn bwyta
fy mara caws. O, dw i eisiau bwyd!

Dydd Mercher

Dw i'n codi am 5 o'r gloch.

Dw i'n dechrau gweithio am 6 o'r gloch.

Dw i'n brysur iawn.

Mae'r ceirt
yn mynd a dod drwy'r dydd.
Mae hi'n dywyll erbyn i mi fynd adre.

Dydd Iau

Dw i'n rhy flinedig i godi.

Does dim amser i gael brecwast.

Dw i'n hwyr yn cyrraedd y gwaith.

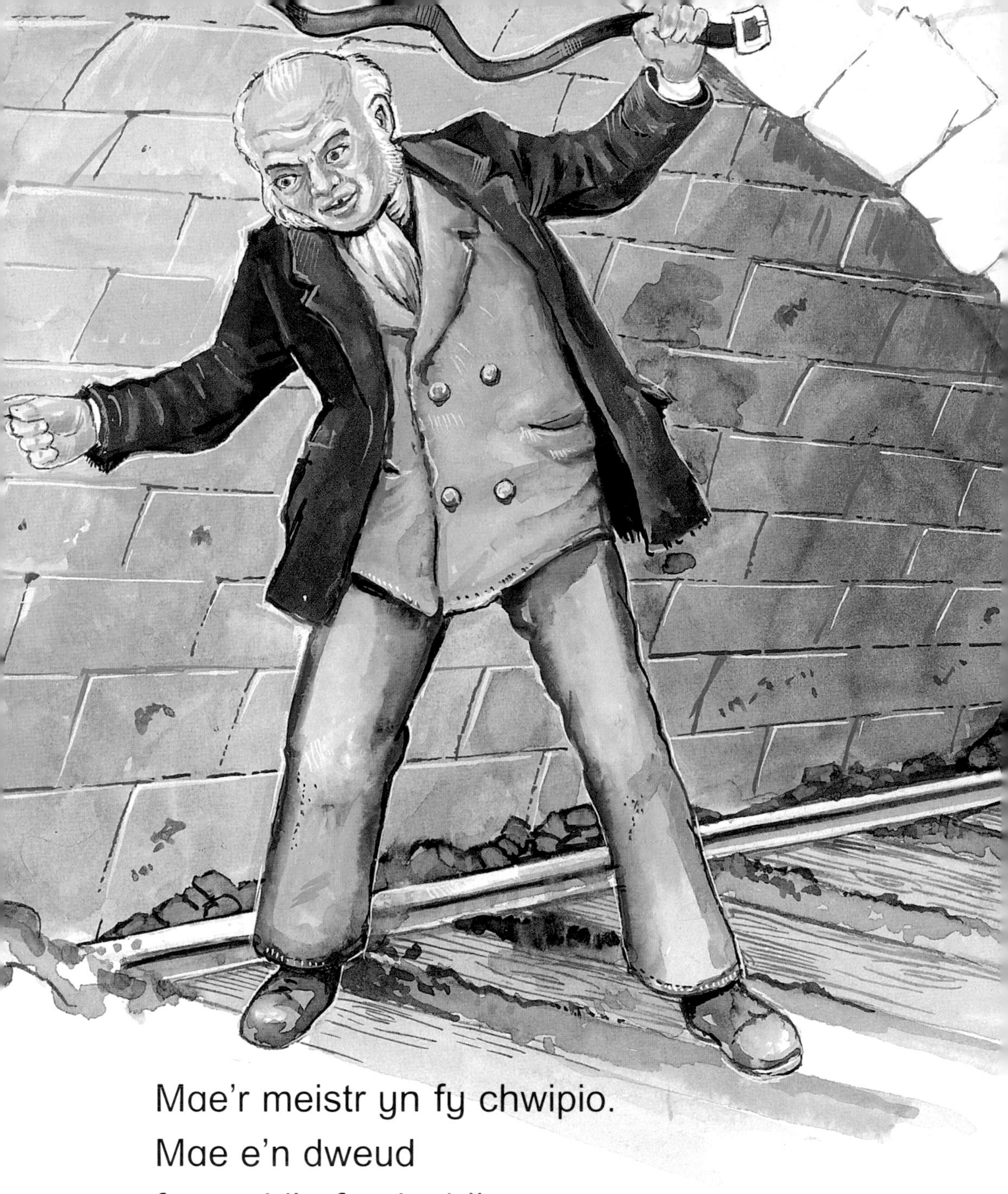

Mae'r meistr yn fy chwipio.
Mae e'n dweud
fy mod i'n ferch ddiog.

Dydd Gwener

Dw i'n cael brecwast
ac yn mynd i'r gwaith.
Mae fy nghannwyll yn diffodd.

Mae hi'n dywyll, dywyll.
Mae ofn mawr arna i.
Dw i'n rhedeg adre at Mam.

Dydd Sadwrn

Dw i'n cael brecwast ac yn mynd i'r gwaith. Dw i'n cysgu yn y gwaith.

Dw i bron â chael
fy mwrw gan y ceirt glo.

Dydd Sul
Mae'r pwll ar gau.
Dw i'n cael bath o flaen y tân.

Mae Dad yn dod â fy nghyflog imi – pymtheg ceiniog. Heddiw dw i'n cael gorffwys a mynd i'r capel!

MYNEGAI

Cyhoeddwyd 1996 gan Wasg y Dref Wen, 28 Ffordd yr Eglwys, Yr Eglwys Newydd, Caerdydd CF4 2EA. Ffôn 01222 617860. Argraffwyd yn Hong Kong.

Dyluniad clawr gan Elgan Davies. Llun clawr cefn: Merch o'r gwaith glo, Dowlais (tua 1860), trwy ganiatâd Amgueddfa Diwydiant a Môr Cymru.